LES ORIGINES D'IRON MAN

© 2013 Marvel

D0267445

Tony Stark est un grand inventeur.
Il rencontre des gens de l'armée.
Ils lui demandent de les aider.

Tony travaille dans un laboratoire de l'armée. Il y a soudain une explosion ! Des ennemis l'ont attaqué.

Ils veulent que Tony fabrique
des armes.
Ils l'emmènent de force.

Ils l'enferment dans une cellule.
Tony rencontre un autre prisonnier.
Il se nomme Yinsen.

Yinsen est un inventeur, lui aussi.
Il place sa main sur l'épaule de Tony.
Tony est blessé au cœur.

Yinsen fabrique un dispositif.
Celui-ci va aider le cœur de Tony
à battre. Tony devra toujours
le porter. Cela va le garder en vie.

Les deux hommes fabriquent une armure. Tony pourra la porter pour s'enfuir.

Tony est devenu invincible.
Il défonce un mur de briques.

Il se bat contre l'armée ennemie.

Il l'emporte facilement.

Les ennemis sont effrayés.
Ils s'enfuient en courant.

Tony s'échappe. Il se sert de son armure pour rentrer chez lui.

Tony veut aider les gens.
À la télévision, il apprend qu'une
prise d'otages est en cours.

Il se précipite sur la scène du crime.

Tout le monde a peur de lui.
Les otages sont aussi terrifiés.
Son armure est trop effrayante.

Tony peint son armure. Les gens n'auront plus peur de lui.

Son armure n'est pas parfaite.
Il y a encore beaucoup de travail
à faire.

Tony se fabrique une armure légère.
Il la peint en rouge et or.

Il crée des répulseurs énergiques.
Ils sont projetés par les mains.

Ses bottes le propulsent dans les airs.
L'armure vole très vite.

Il doit trouver un nom de superhéros.
Il choisit Iron Man.

Il se bat contre des supervilains.

Il doit parfois affronter deux vilains
à la fois !

Il peut attaquer par derrière.

Il peut soulever les méchants.

Tony continue de travailler sur son armure.

Il utilise des outils spéciaux. Il porte des lunettes protectrices. Il travaille sans arrêt.

Tony ne porte pas toujours son armure. Il enfile parfois un complet et une cravate.

Il emporte toujours une valise avec lui. Son armure est rangée à l'intérieur.

Il ne sait jamais quand le monde aura besoin d'Iron Man !